SCHWIERIGKEITSGRAD: SCHWER · ADVANCED LEVEL

Johann Joachim Quantz

Ausgewählte Sonaten

Selected Sonatas

für Flöte und Basso continuo · for Flute and Continuo
Nr. 1, 2, 3, 4, 5, 6, 8

Revidiert von • Revised by Oscar Fischer

Klavierstimme nach dem bezifferten Bass von • Continuo realisation by Otto Wittenbecher

F 95090

ROB. FORBERG MUSIKVERLAG

INHALT · INDEX

© 2020 Rob. Forberg Musikverlag, Berlin (für alle Länder · for all countries)

Alle Rechte vorbehalten · All Rights Reserved

Umschlagbild · Cover image: Adolph Menzel, *Flötenkonzert Friedrichs des Großen in Sanssouci* (1850-1852)

F 95090
ISMN 979-0-2061-0624-8

Sonate Nr. 1

© 2020 by Rob. Forberg Musikverlag, Berlin

Alle Rechte vorbehalten
All Rights Reserved

Presto

p *pp* *p* *tr* *f* *cresc.*

1.
2.

tr
mf
p
f
mf
f
p
f

1.
2.
Gigue
p
mf
f
tr

f
mf
p
cresc.
tr

Sonate Nr. 2

Cantabile
Flöte
Flute
Piano
p
poco a poco cresc.
mf
p
mf
p
mf
p
cresc.
mf
f

Alla breve
f
tr
f
tr
tr
tr
f

col 8va adl.
col 8va adl.
tr
rit.

Vivace
mf
p
mf
cresc.
f
mf
p
1.
2.

p dolce
mf
p
mf
cresc.
cresc.
f
f
mf
p
mf
p
tr
f
p
cresc.
f
f
p
cresc.
f
p
f
p
f
1.
2.

Sonate Nr. 3

Allegro

tr
p
f
tr
p
f
tr
f
tr
p
tr
f

tr
f
mp
p
mf

Un poco vivace
col 8 ad lib.
8

Sonate Nr. 4

Presto
1.
2.

f
p
(♮)
cresc.
mf
mp
mf

tr
p
cresc.
mf (?)
p
cresc.
mf
p
mf (?)
p
mf
p
p
f
p
mf
f
p
p
mf
f
p
f
p
f
tr
p
cresc.
tr
1.
2.
f
p
cresc.
f

Allegro
mf
p
mf
p
mf
f
tr
tr
p
f
p
mf
cresc.
1.
2.

Johann Joachim Quantz

Ausgewählte Sonaten

Selected Sonatas

für Flöte und Basso continuo · for Flute and Continuo
Nr. 1, 2, 3, 4, 5, 6, 8

Revidiert von • Revised by Oscar Fischer

FLÖTE · FLUTE

F 95090

ROB. FORBERG MUSIKVERLAG

INHALT · INDEX

Sonate Nr. 1

Johann Joachim Quantz

© 2020 by Rob. Forberg Musikverlag, Berlin

Alle Rechte vorbehalten
All Rights Reserved

Presto
f
p
cresc.
tr
f
p
f
tr
p
f
1.
2.
f
p
mf
p
f
p
(7)
f
mf
p
f
p
mf
p
mf
f
mf
p

Gigue
cresc.

Sonate Nr. 2

Johann Joachim Quantz

33
3
f
45
51
p
56
61
f
68
tr
p
77
pp
p
81
(𝄾)
mf
f
86
tr

Vivace
mf
p
mf
p
cresc.
f
mf
f
mf
f
mf
f
p dolce
mf
cresc.
f
mf
p
f
p
cresc.
f
p
f
1.
2.

Sonate Nr. 3

Johann Joachim Quantz

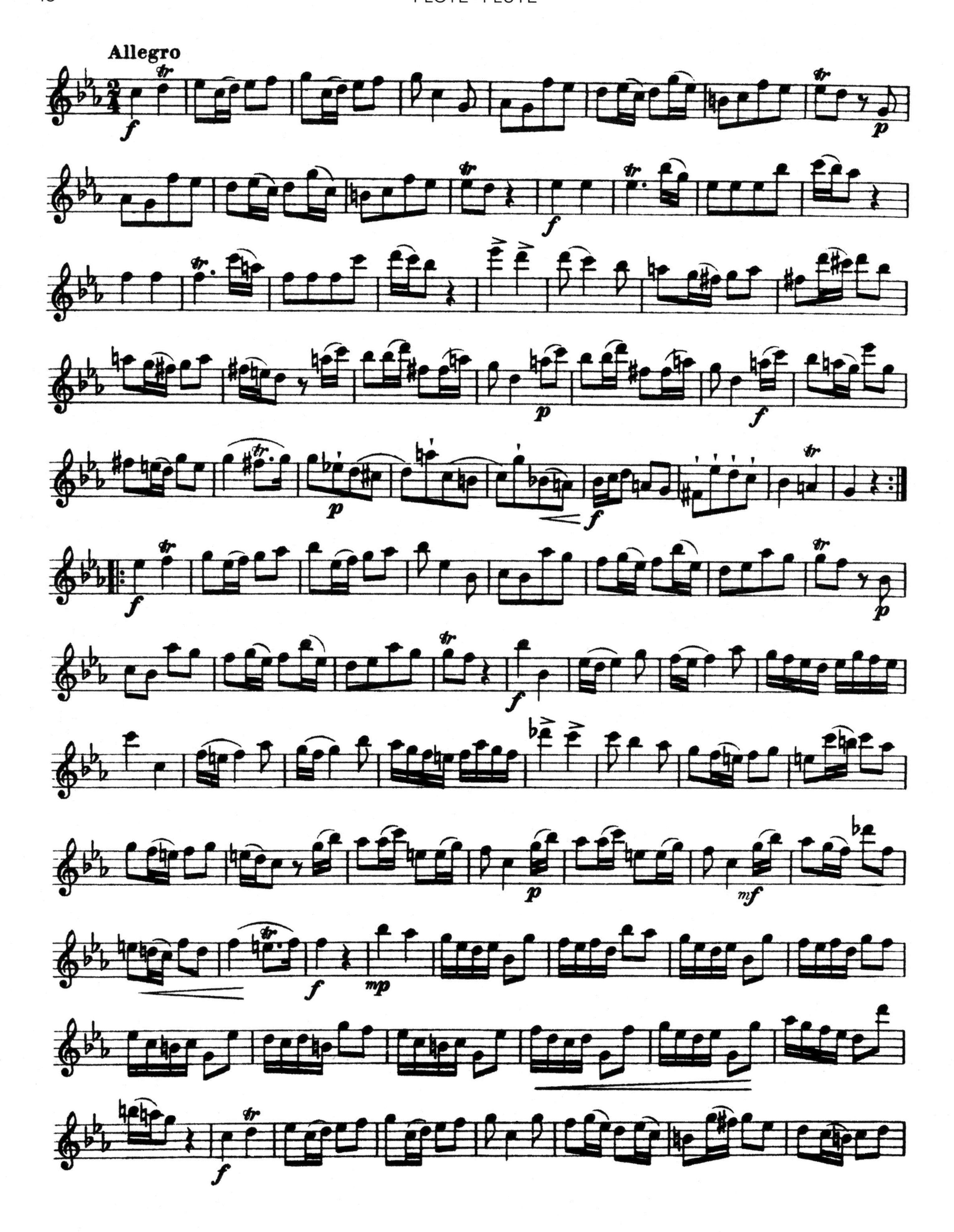
Allegro
tr
f
p
mp
mf

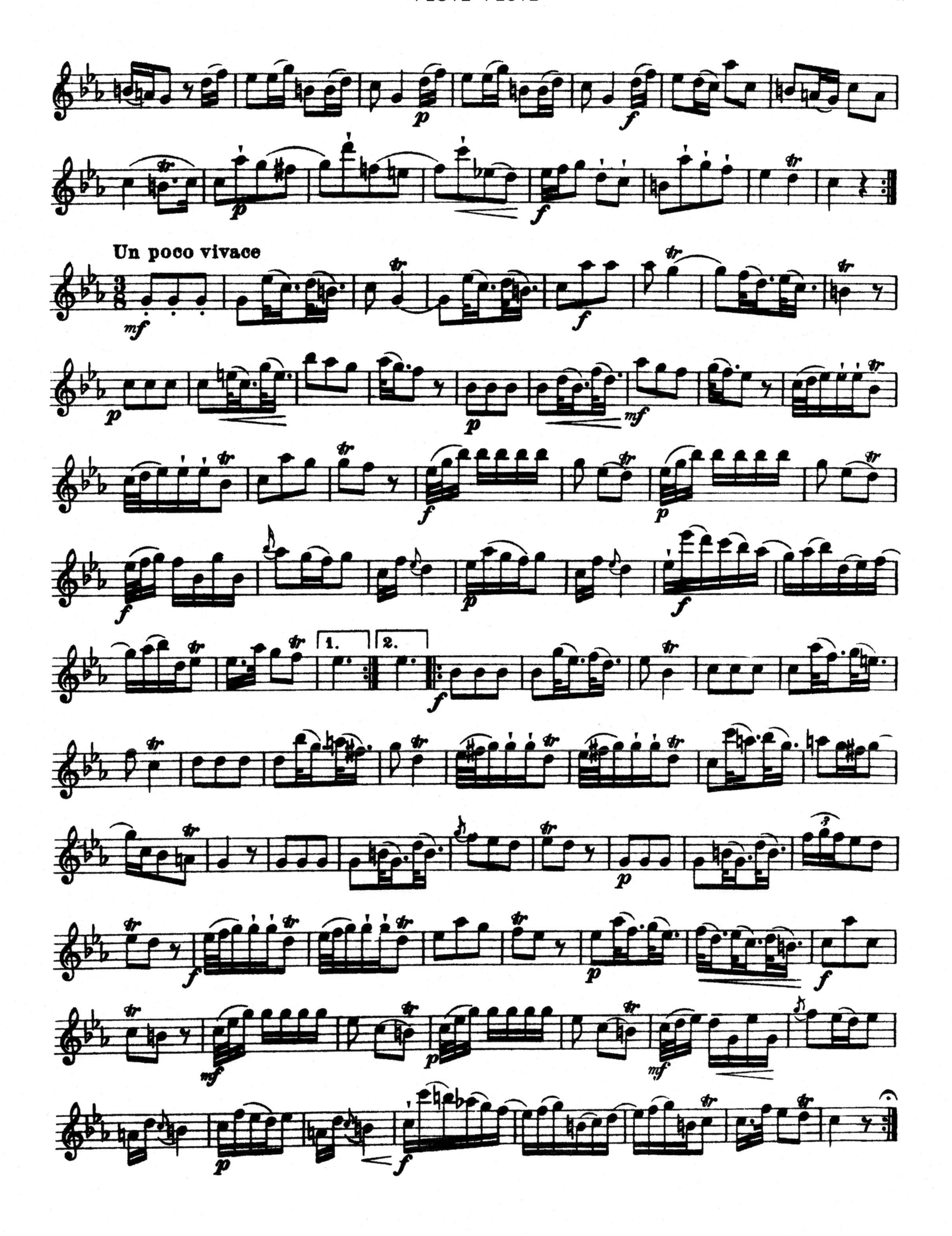
Un poco vivace

Sonate Nr. 4

Johann Joachim Quantz

cresc.
cresc.
cresc.

Allegro
mf
p
mf
p
mf
f
tr
p
f
p
cresc.
f
1.
2.
mf
f
p
f
mf
(7)
f
p
mf
f
p
f

Sonate Nr. 5

Johann Joachim Quantz

cresc.
f
p
f
p
cresc.
f
p
mf
f
mf
cresc.
f
p
cresc.
f
p
f
mf
p
cresc.
f
p
f
p
cresc.
f
p
mf
f
1.
2.
tr

Vivace

Sonate Nr. 6

Johann Joachim Quantz

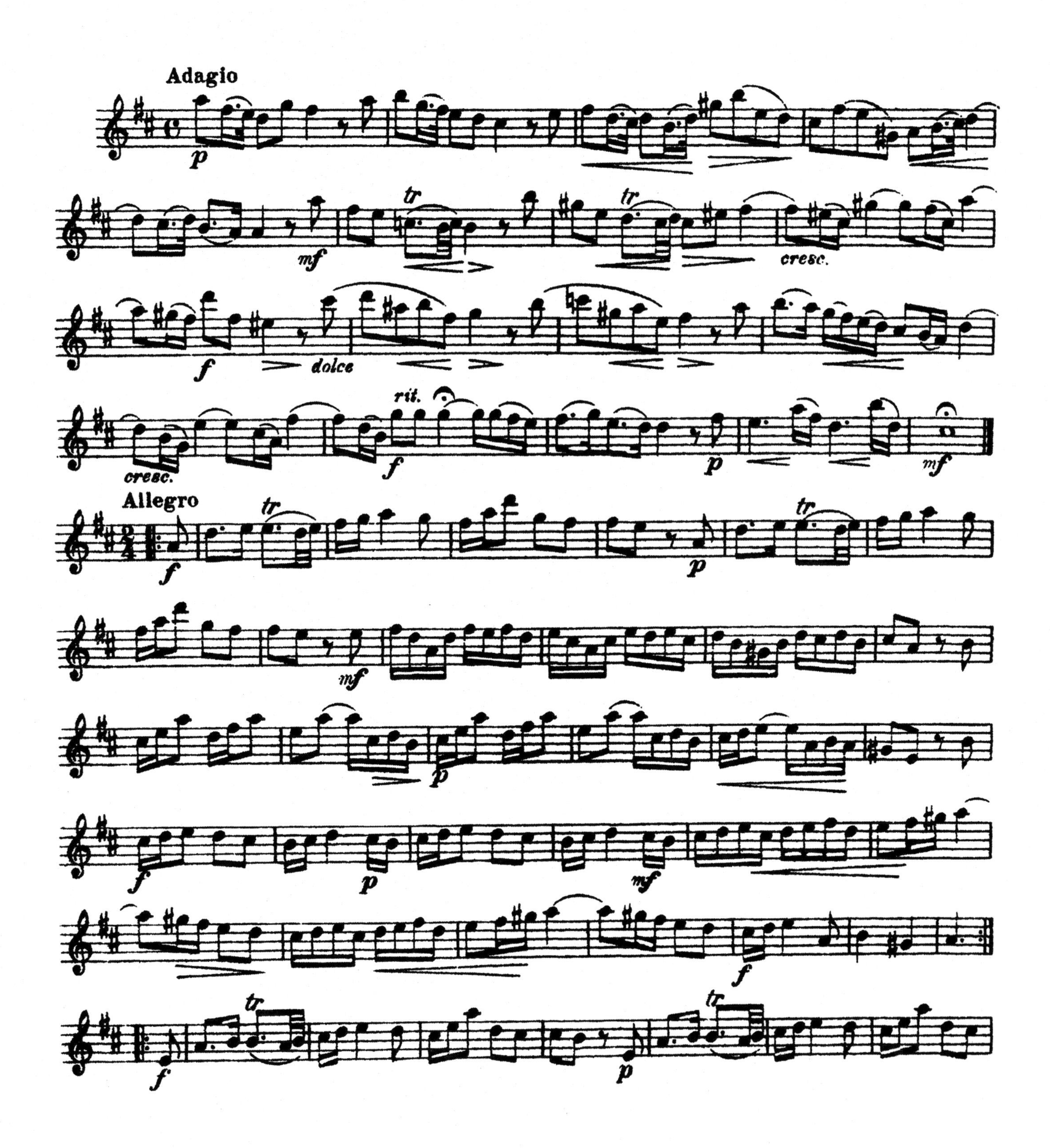

mf
p
cresc.
tr
f
cresc.
f
p
mf
cresc.
f
Largo
p
mf
f
p
f
tr
mf
adagio
pp

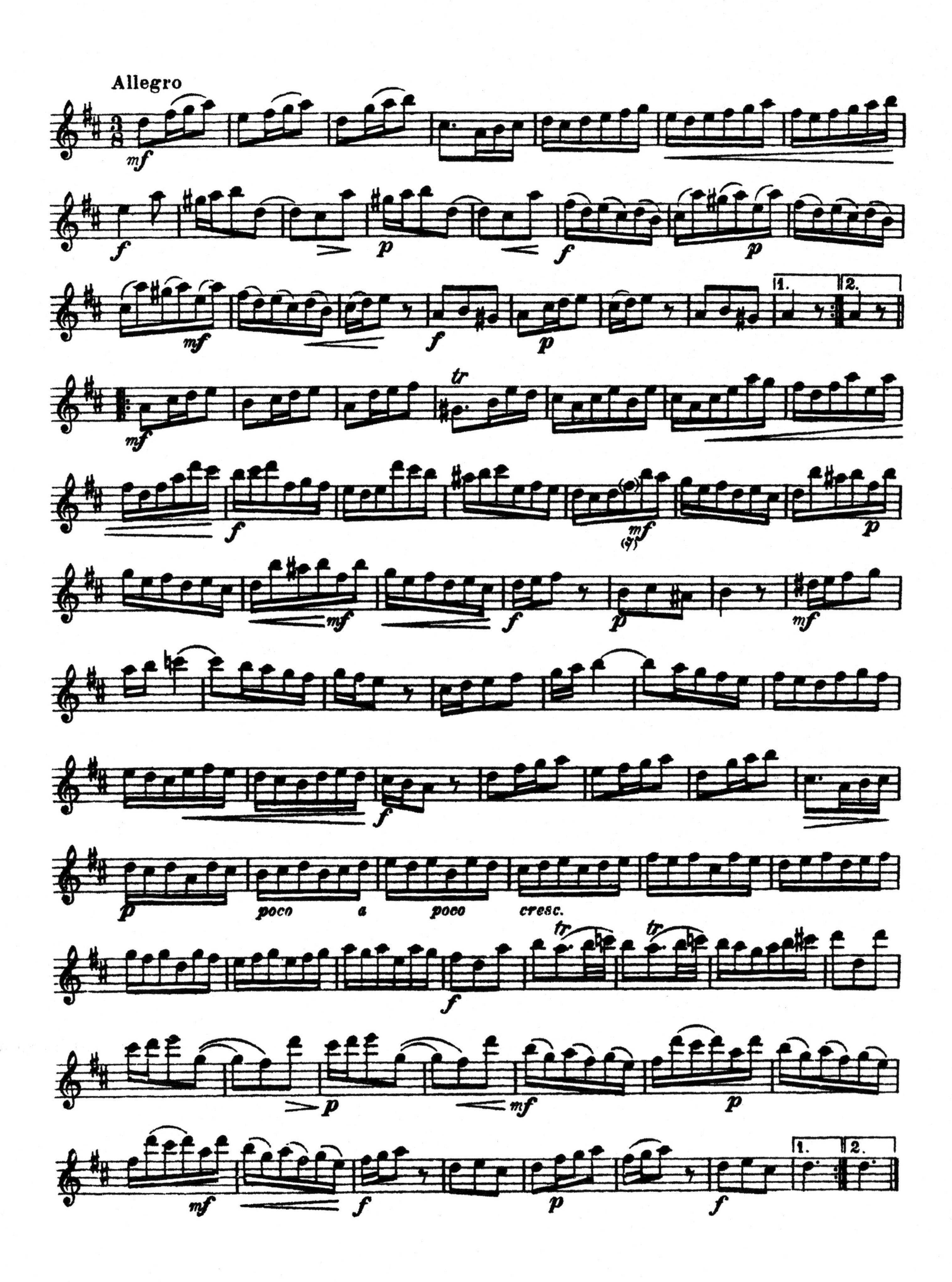
Allegro
mf
f
p
f
p
mf
f
p
mf
f
mf
p
mf
f
p
mf
f
p
poco a poco cresc.
tr
f
p
mf
p
mf
f
p
f

Sonate Nr. 8

Johann Joachim Quantz

Allegretto

Allegro
mf
f
p
cresc.
tr
1.
2.

mf
f
mf
f
p
cresc.
mf
p
f
tr
1
f
1
1
1
mf
f
p
cresc.
f
p
f
tr
p
pp
f
p
mf cresc.
f
tr
1.
2.

f
p
f
mf
f
p
f
mf
1.
2.

Sonate Nr. 5

Presto
mf
cresc.
f
p

cresc.
cresc.
tr
tr
f
p
f
f
p
f
p
cresc.
cresc.
tr
f
f
p
mf
p
mf
f
f
1.
2.

mf
cresc.
f
p
cresc.
f
p
f
mf

p
p
cresc.
f
cresc.
f
p
f
p
p
cresc.
cresc.
f
f
p
mf
f
1.
2.

Vivace
f
mf
p
tr

Sonate Nr. 6

Allegro

p
p
cresc.
cresc.
f
p
p
cresc.
cresc.
f
f
p
p
mf
mf
cresc
cresc.
f
f

Largo
p
mf
f
adagio
pp
Allegro
1.
2.

mf
tr
f
mf
p
mf
p
poco
a
crecs.
p
poco
a
poco
cresc.
mf
f
1.
2.

Sonate Nr. 8

tr
pp
mf
p
f
3
fp

Allegretto

f
mf
p
pp
tr

f
mf
p
pp
ppp
tr

mf
cresc.
Allegro

cresc.
cresc.
tr
tr
1.
2.

mf
p
f
mf
cresc.
pp
marc.
tr

mf
f
p
cresc.
pp
ppp
mf cresc.
1.
2.